ゾロリーランド
キャラクター・グッズ
◉もう なくなってしまった
「ゾロリー・ランド」。そのキャラクター・
グッズは いま そうかんたんには
てに はいらないから
とても たかく うれる はずだ。
ホ
248-5×5×1
にんじゃ用
◉むかし さるとびさすけが
つうしん用《よう》に つかっていたと
いわれる、ポケットベルだ。
これは れきしてきにも
かちが ある。
ゾロリーランド《ぞろりーらんど》の
ことは、
『かいけつゾロリ《ぞろり》
きょうふの
ゆうえんち』に
かいてある
だよ。
つかいすて カイロ
◉水戸黄門《みとこうもん》が、ふゆに
つかっていたらしい。
むかって みぎの すみに
「あおいのもん」が ついている
ものが ほんものと いわれる。

かいけつゾロリのにんじゃ大《だい》さくせん

原　ゆたか　さく・え

ゾロリ《ぞろり》は　ようかい学校《がっこう》の　先生《せんせい》を　たすけた　おれいに、
こんな　テレホンカード《てれほんかーど》を　もらったのです。
（それは、『かいけつゾロリのおばけ大《だい》さくせん』にくわしくかいてありますが、この本《ほん》は、それさ　よんでなくても　おもしろいよ）
IN　0 1 5 10 30 50
ぶう
ぶう
こんな
みっともない
テレカ《てれか》、はやいとこ
つかっちまおうぜ。

おなかの　すいた　ゾロリ《ぞろり》たちは、
いつものように　うたを
うたうきにも　なれません。

くーっ、はら　へった。さっき、そこで　もらった　たくはいピザ《ぴざ》の　ちらし、どれを　みても　うまそうだなあ。こいつあ、めのどくだぜ。
ゾロリ《ぞろり》せんせ、ここに　コンビニ《こんびに》の　バイト《ばいと》で　ためた　おかねが、二《に》せん三《さん》びゃく円《えん》あるだ。ピッタシ《ぴったし》、ピザ《ぴざ》　一《いち》まいの　ねだんだよ。
ドミソピザ
トロピカル スペシャ M¥2300 L¥3400
イタリアン デラックス M¥2300
シーフード デラックス M¥2300 L¥3400
かいてん きねん しょうひぜいサービスします

ワイドテレビ
でんきまつり
あかるいせいかつ
パルパルク
それに、ようかい学校《がっこう》の　先生《せんせい》から
もらった　テレホンカード《てれほんかーど》だって、
まだ、つかわずに　もってるだ。
そして、みてみて。
この、でんきやの　よこに
こうしゅうでんわが　あるだ。
これは　もう、かみさまが
ピザ《ぴざ》を　たのみなさいって
いってるんだと　おら、おもうだよ。
さ、たのみましょ、たのみましょ。

三《さん》にんの　おなかが　なって、
いけんが　まとまりました。

ぴらぴら

イシシ《いしし》が、こうしゅう
でんわに　テレカ《てれか》を
いれて、プッシュボタン《ぷっしゅぼたん》を
おそうとしたときです。
となりの　でんきやの
ワイドテレビ《わいどてれび》に、ゾロリ《ぞろり》の
もっている　テレカ《てれか》が、
大《おお》きく　うつしだされて
いるでは　ありませんか。

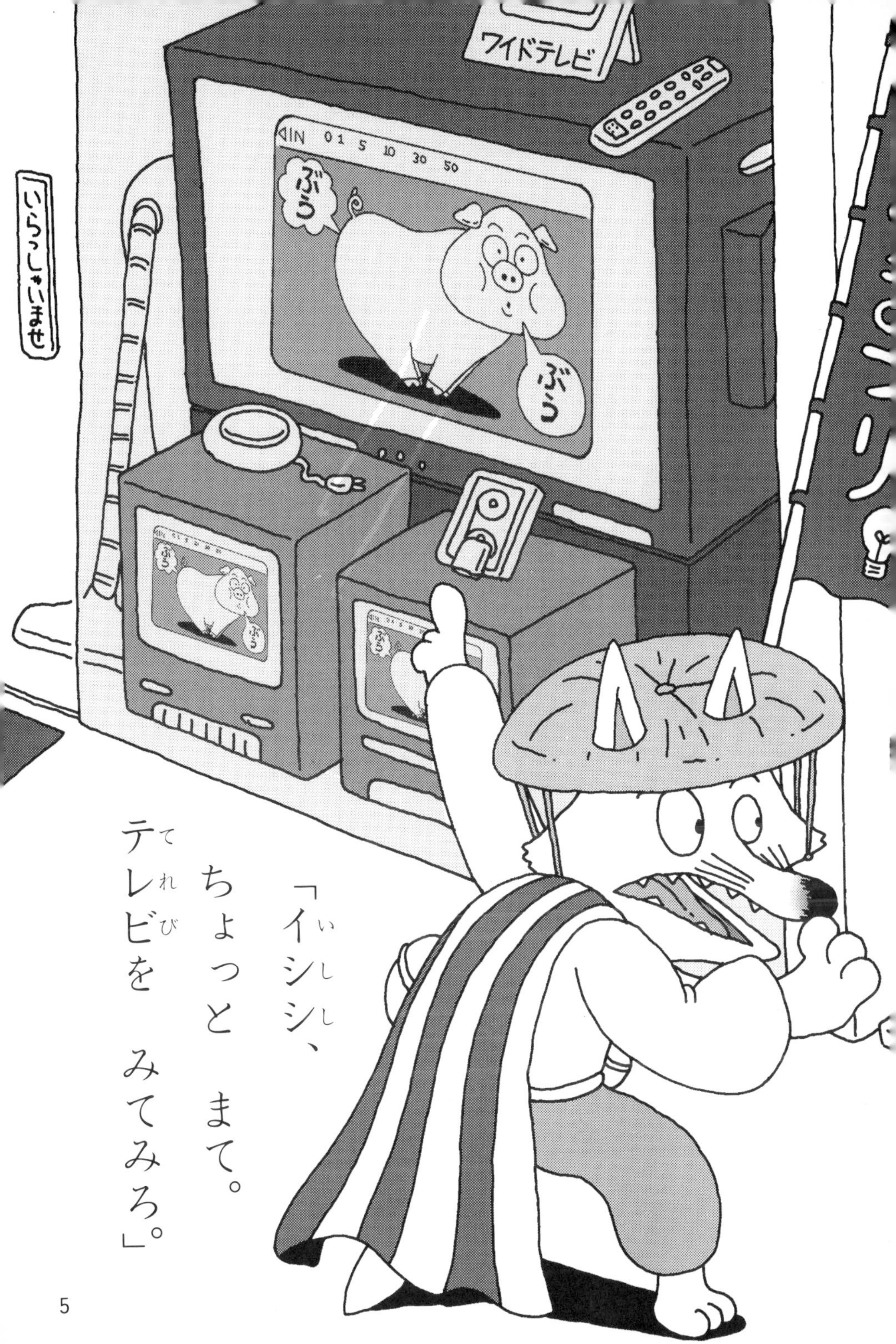
ワイドテレビ
いらっしゃいませ
ぶう
ぶう

「イシシ《いしし》、ちょっと まて。テレビ《てれび》を みてみろ。」

こんな、ダサダサ《ださださ》テレカ《てれか》の　ねだんが、せかいで　いちばん　たかいと　おっしゃるん　ですか、ミカエル《みかえる》さん。
ぶう
ぶう
そのとおり。なさけない　ブタ《ぶた》の「え」の　おかげで、この　テレカ《てれか》を　たいせつに　とっておこうと　おもう　ひとは　おらず、みんな　どんどん　つかってしまったのですね。
テレカコレクター　ミカエル氏
そこで、一《いち》ども　つかわれていない　この　〃ブウブウテレカ《ぶうぶうてれか》〃が、せかいに　たったの　2まいしか　のこら　なかったと　いう　わけなのです。
へーっ、その、きちょうな　1まいを、ミカエル《みかえる》さんが　おもちなんですね。いま、一《いっ》せんまん円《えん》の　ねだんが　ついて　いるそうですが。

はい。
でも　もう1まいの
テレカ《てれか》が、いまだ　ゆくえ
ふめいの　ままなのです。
もし、それが、つかわれたり
やぶれていたり　して、
せかいに　この　1まいしか
〝ブウブウテレカ《ぶうぶうてれか》〟が
ないなんてことに
なったとしたら。
なったとしたら？

この　テレカ《てれか》の　ねだんは、
かならず、10ばいに
はねあがる　ことでしょう。
じゅ、じゅ
じゅうばいと
いうことは、
一《いち》おく円《えん》!!

ゾ《ぞ》ロ《ろ》リ《り》は、あわてて
イ《い》シ《し》シ《し》の　じゅわきを
とりあげると、でんわを
きりました。
おかげで、〝ブ《ぶ》ウ《う》ブ《ぶ》ウ《う》
テ《て》レ《れ》カ《か》〟は、一《いち》ども
つかわれないまま、
こうしゅうでんわから
とりだされたのです。

「フーッ《ふーっ》、あぶない、あぶない。
おたからを　ただの　ごみに
しちまうところだったぜ。」

「ゾロリ《ぞろり》せんせー。それを
うったら、ピザ《ぴざ》　一《いち》まいと　いわず、
この　ちらしに　のってる　ぜえーんぶの
ピザ《ぴざ》が、たのめますよね。」

「コーラ《こーら》も　つけてくださいね。」

「ぶあっかもーん。」

「たった 一《いっ》せんまん円《えん》なんて はしたがね、
おれさま、ちいーっとも ほしくなんか ないぜ。
あの テ《て》レ《れ》ビ《び》に うつっていた テ《て》レ《れ》カ《か》さえ
きりきざんでしまえば、おれさまの テ《て》レ《れ》カ《か》は、
あっと いうまに 一《いち》おく円《えん》さ。
その かねで、ゾ《ぞ》ロ《ろ》リ《り》じょうを
たててから、おまえたちに
おなかが はちきれるほどの ピ《ぴ》ザ《ざ》を
たべさせてやるぜ。」

ゾ《ぞ》ロ《ろ》リ《り》は、おなかの
すいたことも　わすれ、
ひとみを　きらりと
かがやかせたのでした。

そのころ、もう 一まいの テレカ《てれか》の もちぬし、ミカエル氏《みかえるし》は、まだ テレビ《てれび》の しゅざいを うけていました。

そんな たいせつな″ブウブウテレカ《ぶうぶうてれか》″は、どこに しまって あるのですか？

はい。いのちより たいせつな その テレカ《てれか》は……。

わが、テレカ《てれか》コレクション《これくしょん》の へやの どまんなかに かざって あります。

ミカエル氏《し》 テレカ・コレクションのへや
えーっ、そんな、むきだしの まま かざっておいて、どろぼうに ぬすまれは しませんか？

はっはっは。このいえにしのびこんで、テレカ《てれか》をぬすみだすなんて、ふかのうですよ。
と、いいますと……。
おやっ、あの ランプ《らんぷ》はなんですか。

ちょうど いい。さっそくどろぼうが、しのびこんだようですぞ。
わたしのテレカ《てれか》が、どんなにげんじゅうにまもられているかを、いま、おみせしましょう。
プチッ
ミカエル氏《みかえるし》が、かべの 大《おお》きなモニターテレビ《もにたーてれび》の スイッチ《すいっち》をいれると――

そこには、ミカエル氏《みかえるし》の　にわに　しのびこんで、
イヌ《いぬ》に　おいまわされている　ゾロリ《ぞろり》たちの　すがたが
うつしだされたのです。

ほら　ごらんなさい。
にわに
はなしがいに　してある
ピラニア犬《ぴらにあけん》に
おいまわされれば、
ほとんどの
どろぼうが　あきらめて、
にげだして
いくことでしょう。
よろいのような うろこ
このおひれでかじをとる
いぬにはめずらしい2ほんあし

たすけて。
く、くるな、よるな。
うひゃー。
だけど、うんよく この いえに もぐりこめた ときには、どうするんです？
これが ピラニア《ぴらにあ》犬《けん》だ！
○ジャングルの おくちで ついさいきん はっけん された おそろしい 犬《いぬ》だ。
するどい は かみついたら けっして はなさない。かむ ちからは スッポンの 12ばいと いわれている。

ごしんぱいなく、へやに　はいれば、
この、きたえあげられた
きんにく　モリモリ《もりもり》・ガードマン《がーどまん》たちが、
なぐりかかってくるのですから、
ひとたまりも　ありませんよ。

ズズン
や、やめてー。
きょうは とくべつに、ここを とおりぬけさせ、テレカ《てれか》の へやへ さそいこんでみましょう。
うわー、どうなるのか たのしみー。

さあ、なにも　しらない
ゾロリ《ぞろり》たちは、こんなにも　おそろしい
へやへ、いま　足《あし》を　ふみいれようと
しているのです。

コレクション《これくしょん》の　へやだ!!

☆この あみの めの ように ゆかを はう レーザーこうせんに あたれば、あし なんか やき きられて しまうぞ。
あっ あそこに ブウブウテレカが かざって あるだ
よーし このはさみで きりきざんで やるぞ
レーザー《れーざー》こうせんの ないところに 足《あし》を ふみだせば
おとしあなが あいて 地下《ちか》30メートル《めーとる》に おっこちて いきます。
☆ここに のると ひみつの しかけが あるのだが いまは まだ ひ・み・つ。

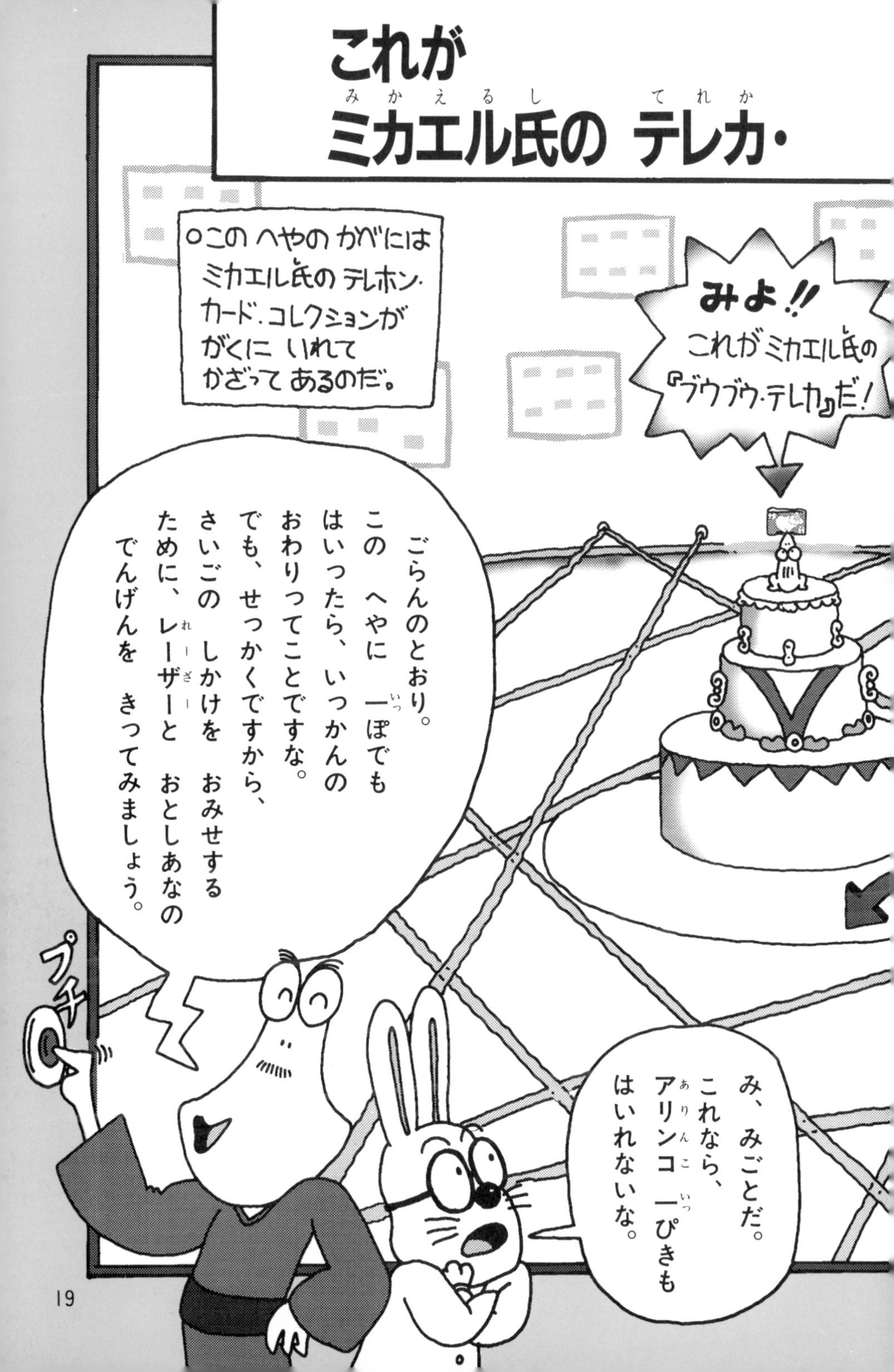
これが
ミカエル氏《みかえるし》の テレカ《てれか》・
みよ!!
これがミカエル氏の『ブウブウ・テレカ』だ!
○この へやの かべには ミカエル氏の テレホン・カード・コレクションが がくに いれて かざって あるのだ。
ごらんのとおり。この へやに 一《いっ》ぽでも はいったら、いっかんの おわりってことですな。でも、せっかくですから、さいごの しかけを おみせする ために、レーザー《れーざー》と おとしあなの でんげんを きってみましょう。
プチ
み、みごとだ。これなら、アリンコ《ありんこ》 一《いっ》ぴきも はいれないな。

「これは、まったく　ありえない　ことなのですが、
まんがいち　どろぼうが、〃ブ《ぶ》ウ《う》ブ《ぶ》ウ《う》テ《て》レ《れ》カ《か》〃に
たどりついたと　しましょう。
やつらは、もちろん　テ《て》レ《れ》カ《か》に
手《て》を　のばそうと
ちかづきますよね。
そのときです。」

これさえ
きりきざめば、
おれさまの
テレカ《てれか》が、
一《いち》おく円《えん》に。
ニヒニヒニヒ《にひにひにひ》。

「おもさを　かんじとった
ゆかが、このように
はねあがり、
どろぼうたちを
てんじょうから
そとへ　ほうりだして
しまうのです。

これで、この　やしきに
ぬすみに　はいろうなんて、
二《に》どと　かんがえないで
しょうよ。ハ《は》ハ《は》ハ《は》ハ《は》ハ《は》。」

さんざんなめに　あった
ゾロリ《ぞろり》たちは、
天《てん》たかく
とばされて、

もりの
おくへと
おちて
いきました。
そして
おりたったところは——

——にんじゃやしきの　にわだったのです。

「に、にんじゃやしきだって？」

ゾロリ《ぞろり》たちは、しりもちを　ついた　おしりを
さすりながら、そこに　あった　たてかんばんを
よんでみました。

にんじゃやしき
ようこそ　にんじゃやしきへ
きみも　すぐに　にんじゃに　なれる!!
おとこのこ　スピード・コース
◎たったの　1しゅうかんで　あなたを
にんじゃに　してみせます。
いまなら　にゅうかいきんは
ただ!!
●いろいろな　にんじゅつが　かんたんに　つかえる
ようになる　すばらしいコースです。
いちど　たいけん　して　みませんか。
おんなのこ　にんじゃダイエット・コース
◎にんじゅつの　しゅぎょうで　すてきな
プロポーションを　あなたの　ものに　してみませんか。
たったの　1しゅうかんで　みるみる　やせていきます。
（にんじゃエステ・コースも　あるよ）
こちらも　いまならにゅうかいきんは
ただ!!
●しゅぎょうに　はげめば　にんじゅつが　みに　つく
だけでなく、きみも　あなたも　そして、きみの　ママだって
あっと　いうまに　スーパー・モデル!!
しゅぎょうちゅうは　にんじゃやしきに　おとまり　できます。

「ほんとに　ただなのかなあ？」
ゾロリ《ぞろり》が　つぶやくと――

「はい、もちろん
でんがな。」
「いま、サービス《さーびす》 おためし
きかんで、にゅうかい金《きん》は
むりょうに なってまんねん。」
にんじゃやしきから、
ふたりの にんじゃが
とびだして
きました。

じゃ
しき
チビニンジャ
デカニンジャ
スピード・コース
たったの 1しゅうかんで あなたも
にんじゃに してみせます。
いまなら にゅうかいきんは
ただ!!

「よーし、ただとは うれしい。きめたぞ。ここで にんじゃに なって、もういちど ミカエル《みかえる》の いえに しのびこむのだ。そして、かならず あの 〝ブウブウテレカ《ぶうぶうてれか》〟を きりきざんでみせるぜ。」

ゾロリ《ぞろり》たち 三《さん》にんは、さっそく、〝スピード《すぴーど》にんじゃコース《こーす》〟の もうしこみを しました。

「ほなら、あしたの あさから、一《いっ》しゅうかんで あんさんら、バッチリ《ばっちり》 にんじゃに してみせまっせ。たのしみに しとってや。」

にんじゃしゅぎょう　1日目

「さあ、せいれつしてやー」。
にんじゃの　かけ声《ごえ》で、
ゾロリ《ぞろり》たちが　ねむそうに　でてきました。
「おや、みなはん、なんで　にんじゃふく
きてないんかな？」
「そんなもん、
もってるわけ
ないだろ。」

「えーっ、にんじゃふく
きてなきゃ、にんじゅつは
おしえられまへんがな。」
「な、なんだって。じゃ、
おらたち、どうすれば
いいだ？」
イシシ《いしし》が　たずねると、
パンパカパーン《ぱんぱかぱーん》！
ファンファーレ《ふぁんふぁーれ》が　なりひびき――

――とつぜん、にんじゃふくのファッション《ふぁっしょん》・ショー《しょー》がはじまりました。

にんじゃふく
1ちゃく たったの
3まん円《えん》

ぜひとも、一《いっ》ちゃくはほしくなるで。
ごつごつした いわばをはしりまわってもあしが つかれない
いまならあなたのなまえと にがおえをししゅうして あげます。
ながいあいだきていてもむれない
くらやみにまぎれるくろい ぬの
ピュ〜〜
これ きてたら、女《おんな》の子《こ》に もてるのも、むりないわなー。

この
にんじゃふくを
かわなきゃ、
にんじゅつを
おしえてくれないと
いうのですから、しかたありません。
ゾロリ《ぞろり》は、100かいばらいに
してもらい、三《さん》ちゃくぶんの
おかね、九《きゅう》ひゃく円《えん》を　はらいました。

こものいれ
どんな はものでも
きりさけない
じょうぶな ぬので
できている。
きちょうひん いれに
もってこい。
くるるる

ソロリ《ぞろり》の　おこづかいちょう

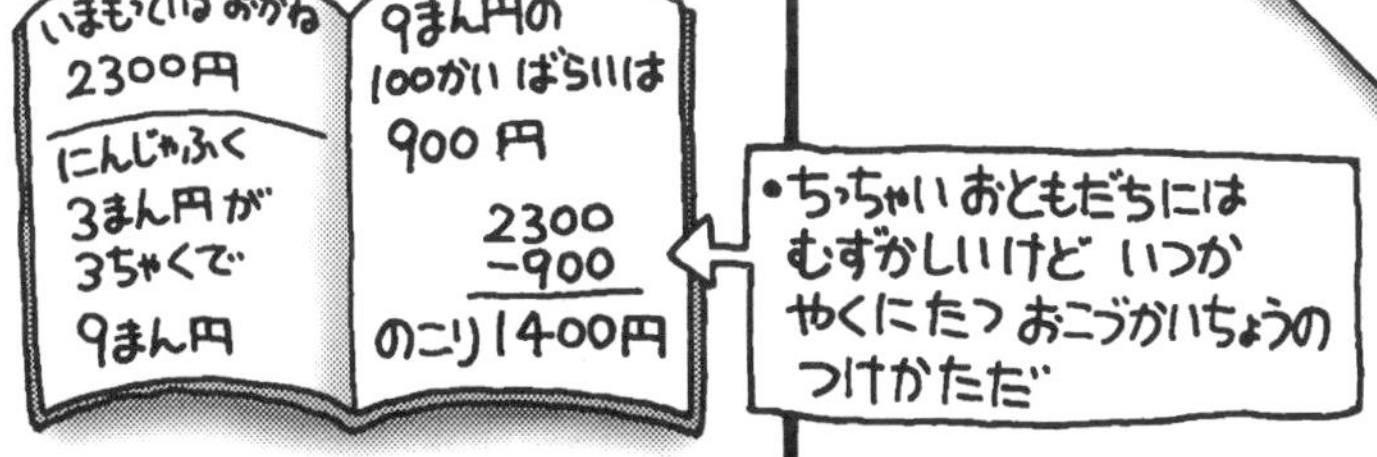
いまもっている おかね
2300円
にんじゃふく
3まん円が
3ちゃくで
9まん円
9まん円の
100かい ばらいは
900円
2300
−900
のこり1400円
•ちっちゃい おともだちには
むずかしいけど いつか
やくにたつ おこづかいちょうの
つけかただ

しばらくして、三《さん》にんは、にんじゃふくに
きがえ、あらわれました。
ところが、にんじゃの　先生《せんせい》が
いないでは　ありませんか。
「先生《せんせい》ー、ほら　ちゃんと　にんじゃふく
きてきただよ。はやいとこ、にんじゅつを
おしえておくれよ。」
ノシシ《のしし》が　いうと、どこからとも
なく、声《こえ》が　きこえてきました。

「フフフ《ふふふ》、わしら、もう、にんじゅつを
つかってるんやで。どこに
おるか、わかりまっか？」
ゾロリ《ぞろり》たちが、きょろきょろ
あたりを　みまわしていると――

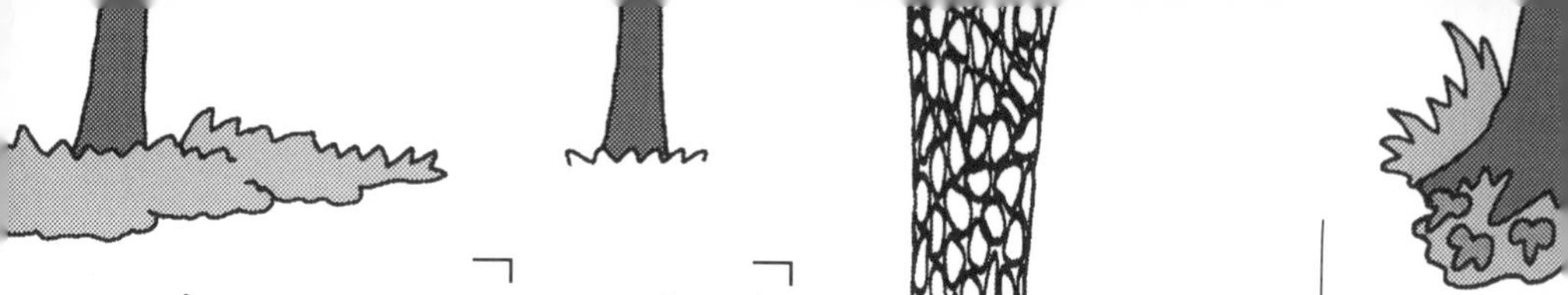

――ぺろりと、木《き》の　かわが
めくれ、にんじゃたちが
あらわれました。
「どや？」
「すっげー」。
三《さん》にんが、目《め》を　みはると、
「これが、ふろしきで　みを
かくす、〝かくれみのの　じゅつ〟や。ぜんぜん
むずかしいこと　あらへんで。ほな、みなはん

じぶんの　ふろしきで
かくれてみなはれ。」
「えーっ。そんな　ふろしき
もってないだよ。」

イ《い》シ《し》シ《し》が　いうと、
パ《ぱ》ン《ん》パ《ぱ》カ《か》パ《ぱ》ー《ー》ン《ん》！
また、あの
フ《ふ》ァ《あ》ン《ん》フ《ふ》ァ《あ》ー《ー》レ《れ》が
なりだしました。

そして、チビニンジャ《ちびにんじゃ》が、ふろしきを
のせた ワゴン《わごん》を おして
あらわれたのです。

さあ、みなはん。この にんじゃふろしき。 木《き》と いわと かなあみの がらに、れんがと じゅうたんがら、二《に》てんを つけて、たったの 一《いち》まん五《ご》せん円《えん》。 これで もりで あろうと、 町《まち》で あろうと、 かくれほうだいや。
ほー。
ふーん。

もちろん、かくれんぼにも
つかえまっせ。いまなら、女《おんな》の子《こ》に
にんきの、この　こぶたがら
ふろしきも、おつけします。

この　ふろしきが
なければ、じゅつが　つかえないと
いうのでは、しかたありません。
ゾロリ《ぞろり》は、また　100かいばらいで、
一《いち》セット《せっと》を　かって、三《さん》にんで
わけて　つかうことに　しました。

こら、おとくやで。かわんと　そんするで、ゾロリ《ぞろり》はん。
いまもっているおかね
1400えん
にんじゃふろしき
1セット
ほん5せん円
ほん5せん円の
100かいばらいは
150円
1400
-150
のこり1250円

にんじゃしゅぎょう 2日目

ふ〜〜

もう　あさから　すいとんのじゅつの
おべんきょうが　はじまって
います。

この
ストロー《すとろー》が
あれば、てきに
きづかれずに、
水《みず》のなかに
なん時間《じかん》でも
かくれて
いられるんやで。

「ほな　みなはん、おてもちの
にんじゃストロー《すとろー》で、水《みず》に
もぐって　ためして
みまひょ。」
「おい、おい、そんなもん、
あいにく　もってないぜ。」
ゾロリ《ぞろり》が　いうと、
パンパカパーン《ぱんぱかぱーん》！
やっぱり、ファンファーレ《ふぁんふぁーれ》が　きこえてきて――

——チビニンジャ《ちびにんじゃ》が、ストロー《すとろー》を　のせた
ワゴン《わごん》を　おして、あらわれました。

すいとんのじゅつ用《よう》
にんじゃストロー　5せん円《えん》
☆いまなら カエルが よってこない ための ヘビの おきものが ついてくる。 （ひだの しょくにんの てづくり）
☆ハスのはっぱの かたちだから みずに ういて いても あやしまれ ないぞ
☆ごみが はいって きた とき には、この ふくろに よけて くれる。
☆水《みず》のふかさに あわせて 5だんかいに ながさき ちょうせつ できる。
☆はなせん
ジョッピ

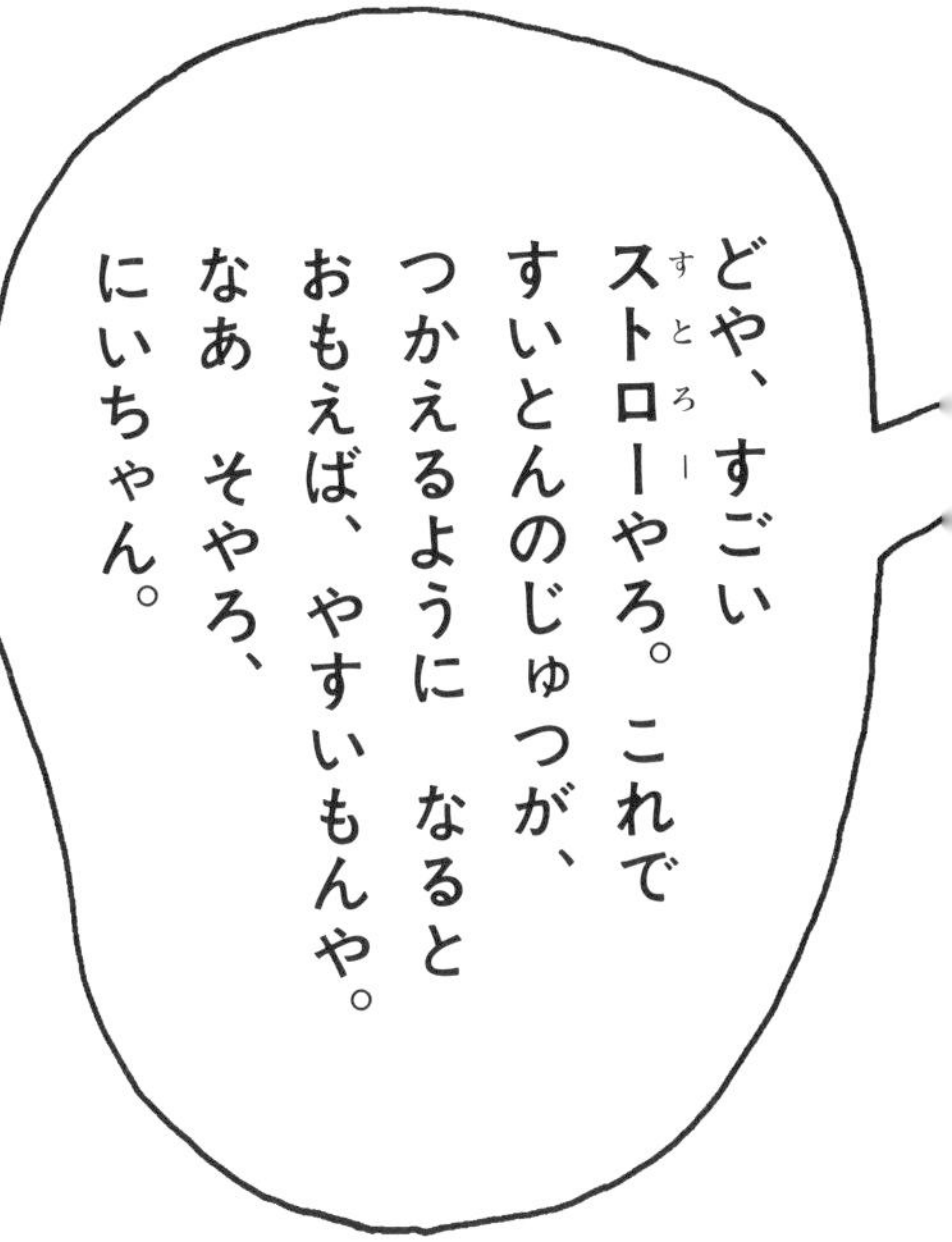
どや、すごい
ストロー《すとろー》やろ。これで
すいとんのじゅつが、
つかえるように　なると
おもえば、やすいもんや。
なあ　そやろ、
にいちゃん。

この　じゅつも　おぼえたい
ゾロリ《ぞろり》は、ストロー《すとろー》を　一本《いっぽん》だけ
かうことに　しました。もちろん、
100かいばらいです。

にん
いまもっているおかね
1250円
にんじゃストロー
1コ
5せん円
5せん円の
100かいばらいは
50円
1250
−50
のこり 1200円

すいとんのじゅつの　れんしゅうが
おわった　ゾロリ《ぞろり》たちに、
デカニンジャ《でかにんじゃ》が　いいました。
「さて、あしたは
けむりだまと　まきびしの
べんきょうや。
たのしみに　しとってね。」
ゾロリ《ぞろり》は、
「ちっ、どうせ　また、

かわされるに　きまってる。
これじゃ、いくら　おかねが　あっても
たりないぜ。ただほど　たかい　ものは　ない
って　いうけど、ほんとうだよな。
なんとか　しなくちゃ。」

その夜《よる》、ゾロリ《ぞろり》たちは
こっそり　もりへ　でかけて、
ゴソゴソ《ごそごそ》と　あけがたまで
なにやら　つくって　いました。

にんじゃしゅぎょう 3日目

まきびしの つかいかた

●おってくる ものに ばらまく。それを ふみつけた てきが けがをした すきに にげだすのだ。

いつも とがった さきが
1ぽん うえを
むくように
なっている
さきが まがっていて
ささると
なかなか
ぬけない
いでででで

けむりだまの つかいかた

●じめんに なげつけ けむりを だして めくらましを する。

ボム
わーっ

さあ、きのうも いったように、
きょうは まきびしと
けむりだまの べんきょうやで。
たいせつやさかい、しっかり
おぼえて かえってや。

「さて、さっそく　れんしゅうしまひょ。
みなはん、おもちの　まきびしと
けむりだま　つかいますさかい、まず
手《て》に　もってみてや。」
「はーい。」
ゾロリ《ぞろり》たちが　元気《げんき》に　そろって
声《こえ》を　あげたので、
にんじゃたちは　びっくり。
「えっ、なんで　もってんねん？」

「そう、もってるの。きのう、つくったの。」
ゾロリ《ぞろり》が せつめいします。

ゾロリ《ぞろり》の まきびし
森《もり》で ひろった だけの くりのイガ

ゾロリ《ぞろり》の けむりだま
森《もり》で ひろった クルミの からの なかに、すなと おならを たっぷり いれて つくりました。
にんじゃ ストローを つかうと クルミに おならが いれやすいよ
ボヒ
クルミ

「こうかは　いっしょ
なんだから、
これでも
いいだろ。」
三《さん》にんは
すまして
まきびしと
けむりだまの
れんしゅうを　はじめました。

ひとしきり　あせを　かいて、れんしゅうが
おわると、ノシシ《のしし》が　いいました。

ねえ、けむりだまの
おならの　においが、
にんじゃふくに
しみついて、とれないだよ。
せんたくせっけんは、
ないだかね——。
プ〜ン
プ〜ン

それを　きいた
にんじゃは、
にたりと　わらい、
「ほう、そら、
こまらはったね。
そんなときには、　これやがな！」
パンパカパーン《ぱんぱかぱーん》！
ファンファーレ《ふぁんふぁーれ》が
なりひびき……。

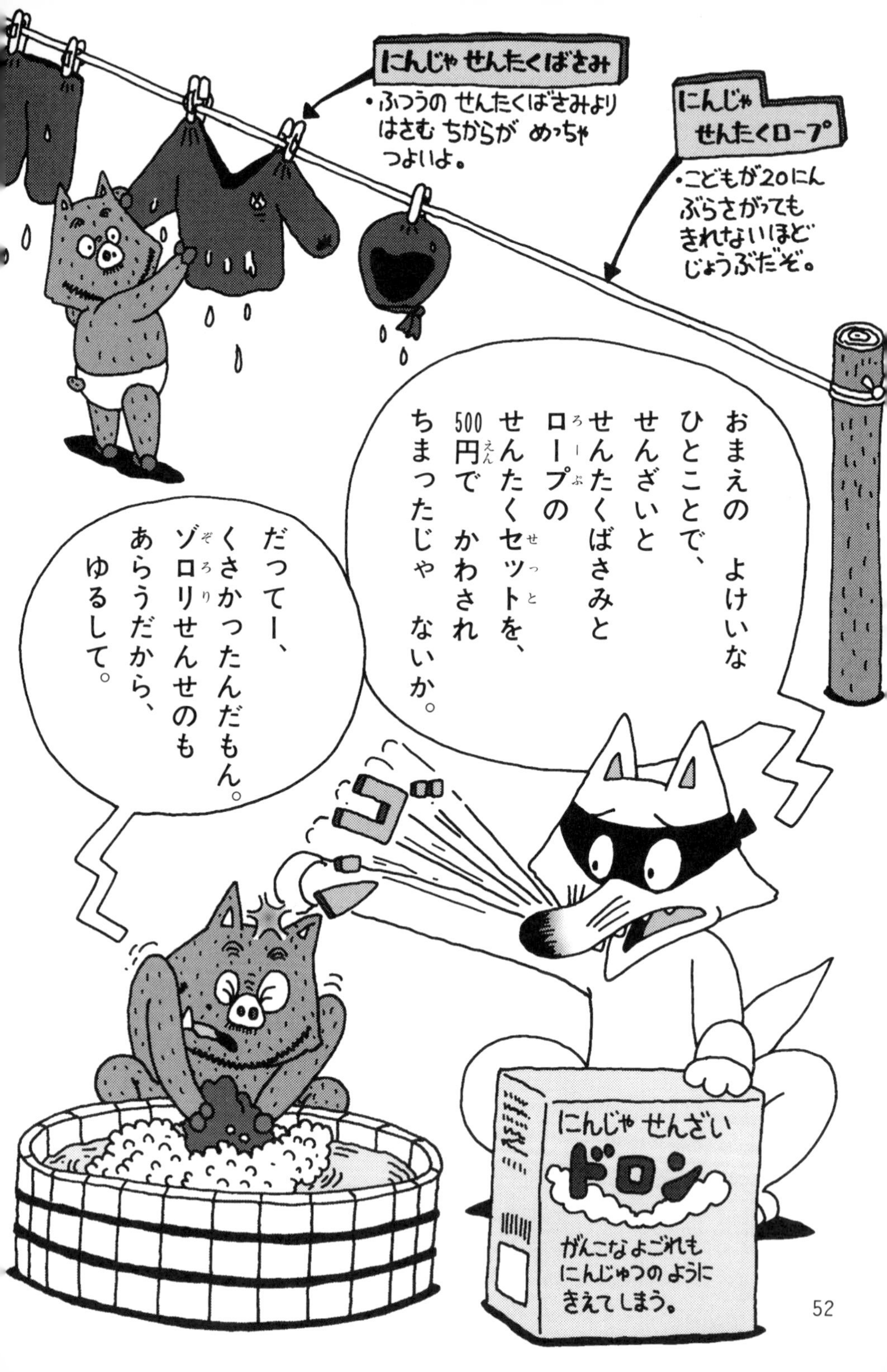
にんじゃ せんたくばさみ
・ふつうの せんたくばさみより はさむ ちからが めっちゃ つよいよ。
にんじゃ せんたくロープ
・こどもが20にん ぶらさがっても きれないほど じょうぶだぞ。
おまえの よけいな ひとことで、せんざいと せんたくばさみと ロープ《ろーぷ》の せんたくセット《せっと》を、500円《えん》で かわされ ちまったじゃ ないか。
だってー、くさかったんだもん。ゾロリ《ぞろり》せんせのも あらうだから、ゆるして。
ゴ
にんじゃ せんざい
ドロン
がんこなよごれも にんじゅつのように きえてしまう。

ゾロリ《ぞろり》たちの　おかねも、あと　700円《えん》しか
のこっていません。
「でも、もうすぐ　びんぼうとも　おさらばだぜ。
だって、いまに　この　テレカ《てれか》が　一《いち》おく円《えん》の
かちに　なっちまうんだからな。ニヒ《にひ》、ニヒ《にひ》。」
ゾロリ《ぞろり》は、たいせつな　〝ブウブウテレカ《ぶうぶうてれか》〟
を、どんな　はものでも　きれないと
いう、じょうぶな　こものいれに
しまい、こしに　ぶらさげました。

いまもているおかね
1200円
にんじゃ
せんたくセット
500円
1200
－500
のこり　700円

にんじゃしゅぎょう

4日目

☆しゅりけん
1000円《えん》のところ
いまなら1コ
700円《えん》

「ほーら、
これが　にんじゃには
なくては　ならん、しゅりけんやで。
こいつは　そんじょ　そこらに
ある、しゅりけんとは、わけが
ちがうんや。よう　みてて　や。」
そう　いうと、にんじゃは、

しゅりけんを　なげました。
シ《し》ュ《ゅ》ル《る》　シ《し》ュ《ゅ》ル《る》　シ《し》ュ《ゅ》ル《る》……
それは、みごとな　円《えん》を
えがいて、ゾ《ぞ》ロ《ろ》リ《り》たちの
めのまえを　かすめ、
とんでいきます。

つぎの　しゅんかん、ゾロリ《ぞろり》の　こものいれは、
みごとに　きりさかれていたのです。
と、どうじに、〃ブウブウ《ぶうぶう》テレカ《てれか》〃も、二《ふた》つに　わかれ、
ひらひらと　じめんに
まいおちていきました。
「う、うおーっ。この　こものいれ、
どんな　はものでも、きれないって
いってたじゃ　ないかー。」

「そう、そこが、すごいとこや。ぜったい　きれないと
おもわれていた　ものまで、きりさいてしまう
しゅりけんって　ことやんか。」
ゾロリ《ぞろり》には、もう　にんじゃの
はなしなど、きこえていません。
「うわ——っ。」
二《に》まいに　きれた　テレカ《てれか》を
にぎりしめ、にんじゃやしきへ
かけこんでいきました。

「ゾロリ《ぞろり》せんせ、この しゅりけん、
よく きれるだね。のこった
おかねで、おもわず 一《いっ》こ
かっちまっただよ。」
かんしんしながら もどって
きた、イシシ《いしし》と ノシシ《のしし》に、
「ばっかもーん。その しゅりけんの
おかげで、みてみろ、このとおり。
おれさまの 〝ブウブウテレカ《ぶうぶうてれか》〟が、

まっぷたつだ。もう、一円《いちえん》の　ねうちも
なくなっちまったんだぞ。」
ゾロリ《ぞろり》が　どなりつけました。
「えーっ、じ、じゃ、もう、ピザ《ぴざ》は、
ひときれも　たべられなく
なっちまっただね。」
「ど、どうするだ。
ゾロリ《ぞろり》せんせー」。
ゾロリ《ぞろり》は、すっと　たちあがり、こう　いいました。

「これで、ミカエル《みかえる》の　テレカ《てれか》が　一《いち》おく円《えん》の
かちに、はねあがったと　いうことだ。なんと
しても、あれを　手《て》に　いれなくちゃ　ならんぜ。」
「でも、まだ　にんじゃの　しゅぎょうが
のこってるだよ。」
イシシ《いしし》が　いうと、ゾロリ《ぞろり》は、
「おい　おまえたち、その　しゅりけんに
さいごの　700円《えん》　つかっちまったんだろ。
それで　おれたちゃ

一文《いちもん》なしさ。　にんじゃの　どうぐが
かえなきゃ、　ここでは　にんじゅつも
おぼえられないってこと、　もう　わかった
だろ。　こんな　ところに、　ながいは
むようだ。　しゃっきん　ふみたおして、
こんや　よにげするぜ。」

いまもっているおかね
700円
しゅりけん1つ
700円
700
−700
のこり　0円

その夜《よる》、ゾロリ《ぞろり》たちは、こっそり
にんじゃやしきを　ぬけだしました。
そして、さっそく　ミカエル氏《みかえるし》の
にわに　しのびこんでいったのです。
ごぞんじのとおり、この　にわに
はいれば、ピラニア犬《ぴらにあけん》が、おそろしい
きばを　むきだして
かけよって
きます。

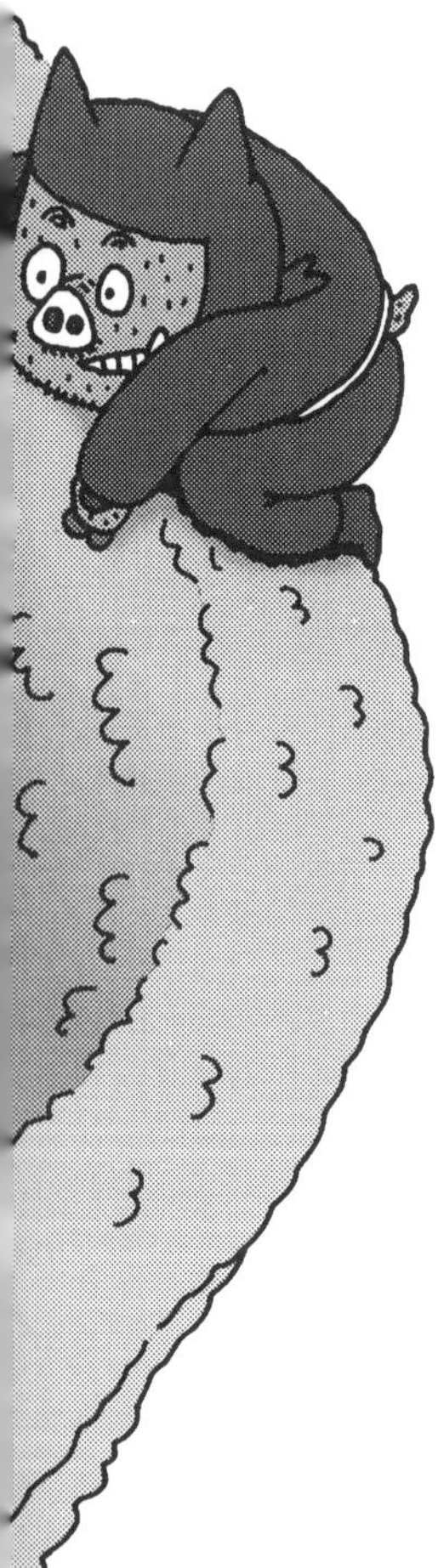

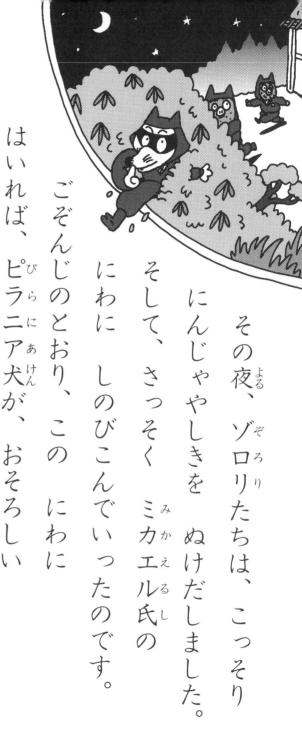

でも、
ゾロリ《ぞろり》たちは、
すこしも　あわてず――

――おてせいの
けむりだまを
なげつけました。
くさい　くさい
けむりだまが　はれつすると、
ピラニア犬《ぴらにあけん》は、
つぎつぎと
はなを
ひんまげて、

たおれていきます。
「さあ!
いまのうちだ。」
ゾロリ《ぞろり》たちは、
ドア《どあ》を　こじあけ、
いえのなかへと
きえて
いきました。

三《さん》にんは、ガードマン《がーどまん》に　みつからない
ように、それぞれ　にんじゃの　どうぐで
みを　かくし——

•どこに　かくれて
いるか、みんなは
みやぶれるかな。

うまく、このへやを
すりぬけました。
そして――
テレカ・コレクションの
へやへ

——やすやすと、
〝ブウブウテレカ《ぶうぶうてれか》〟の へやへ
たどりついたのです。
ドア《どあ》を あけると、へやの
まんなかに、その テレカ《てれか》は
かがやいています。
それを みた ノシシ《のしし》は、
「うわーっ、一《いち》おく円《えん》
だあ——っ。」
おもわず、

へやへ　足《あし》を
ふみいれてしまい
ました。すると、

レーザー《れーざー》こうせんが、ノシシ《のしし》の　こものいれを
つらぬいて、まきびしがわりの
くりの　いがが、バラバラ《ばらばら》と　とびだしました。
「ひええ——っ。」
ノシシ《のしし》が、あたまを　かかえて　うずくまると——

――ゆかには　ぽっかり、おとしあなが　あいたのです。
いがぐりと　ノ《の》シ《し》シ《し》が、その　あなに
おっこちていきます。
「うわーっ、
たすけて――」。
ノ《の》シ《し》シ《し》が　さけんだ
そのとき、

ききいっぱつ。
ノシシ《のしし》の　のばした
手《て》を、ゾロリ《ぞろり》が　つかみ、
ゾロリ《ぞろり》の　からだを、イシシ《いしし》が
だきかかえて、ぐっと　ふんばりました。
「フ《ふ》――ッ《っ》。」

ほっと　したのも　つかのま。
そのまま
三《さん》にんは、
なかよく　かたまって
おとしあなに
すいこまれていったのです。
さらに、おとしあなの
、そこには、もっと　おそろしい
ものが、まちうけていました。

あっ、あれは。
おらの いがぐりまきびしだあー。

おしりに　おもいきり
いがぐりを　さした
ノ《の》シ《し》シ《し》は、

あまりの　いたさに、
おとしあなから　とびだしました。

おかげで、ほら、
てんじょうに
へばりつくことが
できたのです。
そして、ゾロリ《ぞろり》は、
そこで、おもいがけなく
いいことを
かんがえつきました。

まず、しゅりけんに せんたくロープ《ろーぷ》を
むすびつけ、むこうがわの
かべに
なげつけます。

つぎに、ロープ《ろーぷ》の
はしを てんじょうに
しっかり くくりつけたら、
じゅんび オーケー《おーけー》。

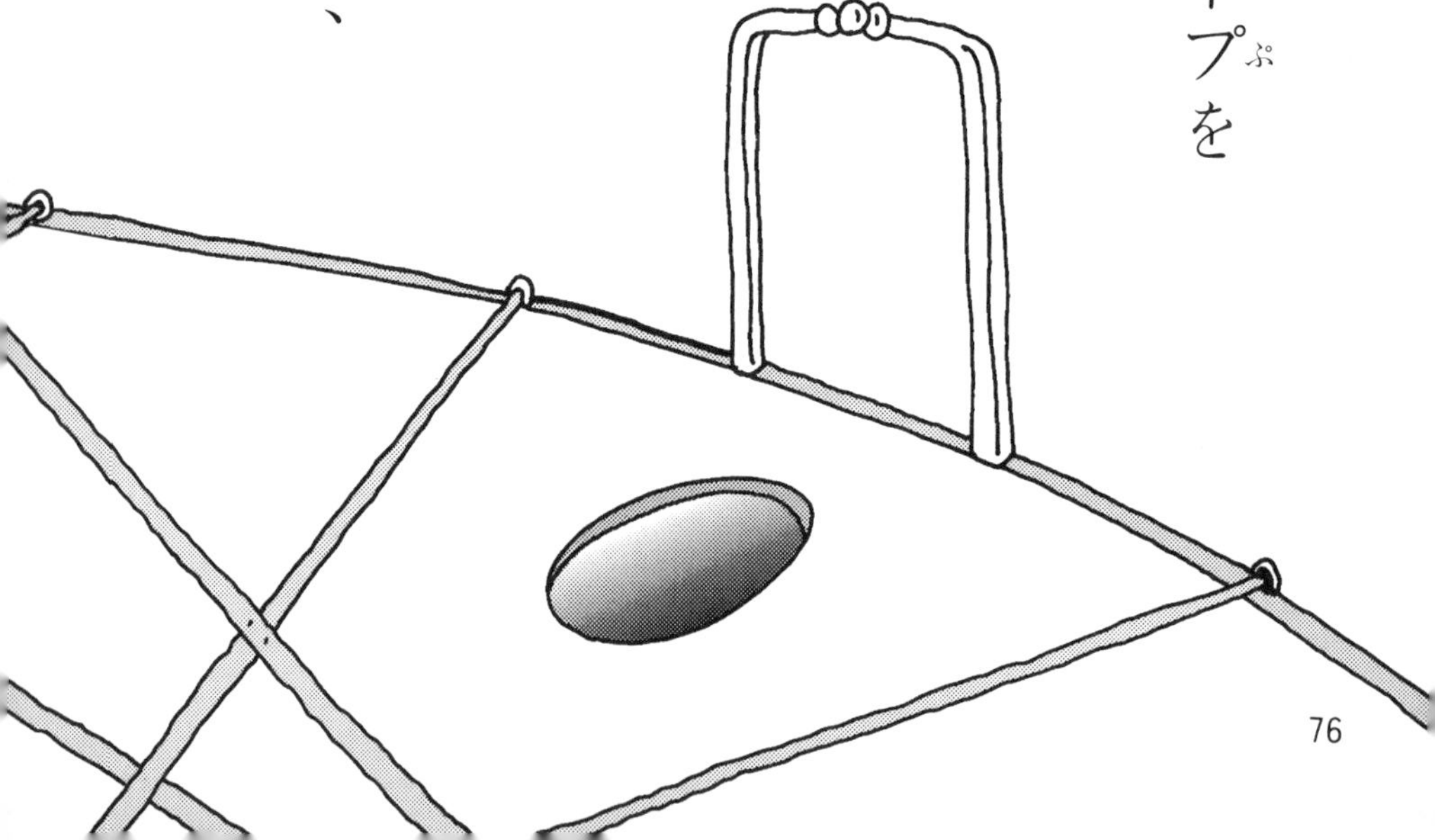

シュル シュル
ガッ

ずりずりずりずり
うんしょ こらしょ。
どうだ、おれさまの さくせんは。

ほら、この　ロープ《ろーぷ》を
つたって、
〝ブウブウテレカ《ぶうぶうてれか》〟を
上《うえ》から　つまみ
あげようと　いう
さくせんなのです。

ゾロリ《ぞろり》せんせ、
あったま
いーーー。

ま上《うえ》からは、
レーザー《れーざー》こうせんや　おとしあなに、
じゃまを　されず、
テレカ《てれか》が　たやすく
とれると　いうことに、
ゾロリ《ぞろり》は　きがついたんですね。

さあ、テレカ《てれか》の　ま上《うえ》に
つきました。

ゾロリ《ぞろり》せんせ、このままじゃ テレカ《てれか》に とどかないだよ。
よし、ちょっと まってろ。

ノシシ《のしし》、きょうりょくな にんじゃせんたくばさみ、もってたよな。
ああ、ここに あるだ。

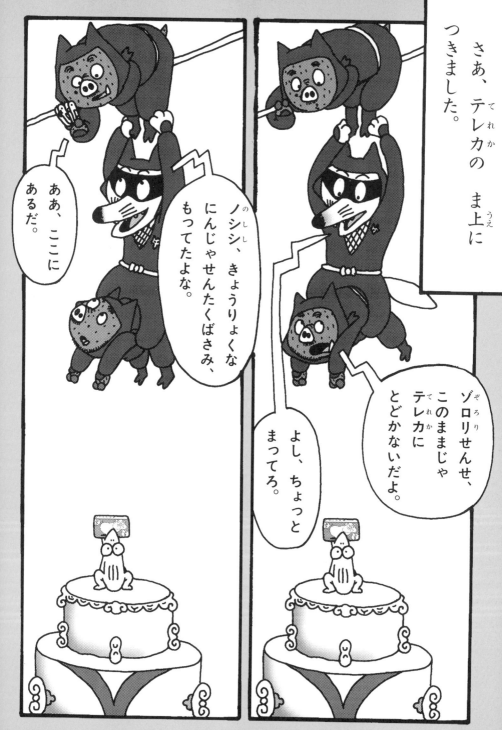

よーし、それで いいぞ、ノシシ《のしし》。
おい、これで どうだ、イシシ《いしし》。
もう ちょい、あと 2ミリ《みり》。
とれたあ~。
バシッ

イシシ《いしし》が　テレカ《てれか》を　つかんだときです。
三《さん》にんの　おもさに　たえかねた
せんたくばさみが、
ノシシ《のしし》の　みみから、
プチン《ぷちん》、パチン《ぱちん》と、　はずれてしまいました。

ヒューッ
うわーっ！
三《さん》にんが、この　下《した》の
ゆかに　おっこちたら
どうなるか、
もう　みんな
しってるよね。
いでっ。
ゴン
あっ、こ、
この　ゆかは。

そのとおり。ゆかが
はねあがり、てんじょう
から、そとへ ほうり
だされてしまうのです。
でも、ゾロリ《ぞろり》たちは、
ニコニコ《にこにこ》。だって
イシシ《いしし》の 手《て》には、
しっかりと、〝ブウブウテレカ《ぶうぶうてれか》〟が
にぎりしめられて いたのですから。

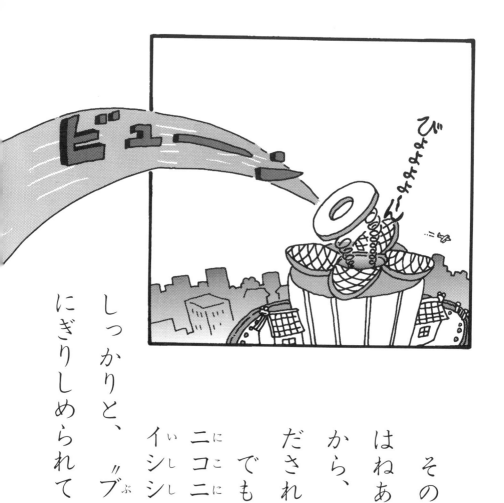

そして、
ゾロリ《ぞろり》たちの
とばされて
いった　さきは——

一《いち》おく円《えん》のテレカ《てれか》だぞ。ぜったいにはなすなよ、イシシー《いしし－》。
わかってるだよ。ゾロリ《ぞろり》せんせー。

もちろん、
にんじゃやしき。
そこでは、ふたりの
にんじゃが、あさから
ゾロリ《ぞろり》たちを
さがしていました。
「あっ、ゾロリ《ぞろり》やんか。
あんたら、しゃっきん
ふみたおして　にげたと　おもてたんやで。」

「ギ《ぎ》ヘ《へ》ヘ《へ》ヘ《へ》、そんなこと、この　ぜんりような
ゾロリ《ぞろり》さまが　するわけ　ないじゃ　ないですか。
あしたにでも、しゃっきんは
りしを　つけて、ぜーんぶ
おかえししますですよ。」
一《いち》おく円《えん》の　テレカ《てれか》を
手《て》に　いれた　ゾロリ《ぞろり》は、
もう　ごきげんです。

「おい、イシシ《いしし》。いろいろ　おせわに
なった　おれいに、にんじゃの
かたたちに、おまえが　たべたかった
ピザ《ぴざ》を、どーんと、ぜんしゅるい
とってさしあげなさい。
コーラ《こーら》も　ホームサイズ《ほーむさいず》を
たのんで
いいぜ！」

イ《い》シ《し》シ《し》は、ねんがんの ピ《ぴ》ザ《ざ》を
たのむため、こうしゅうでんわを
さがしに、とびだしていきました。

「ニ《に》ヒ《ひ》ヒ《ひ》、この〝ブ《ぶ》ウ《う》ブ《ぶ》ウ《う》テ《て》レ《れ》カ《か》〟が
あれば……。あれっ、ノ《の》シ《し》シ《し》、テ《て》レ《れ》カ《か》は？」

「まだ、イ《い》シ《し》シ《し》が もったままだよ。」

ゾロリ《ぞろり》が、あわてて
イシシ《いしし》を　おいかけて
いくと――。

もう、ピザ《ぴざ》の　ちゅうもんを
しおわった　イシシ《いしし》が、
〝ブウブウテレカ《ぶうぶうてれか》〟を
こうしゅうでんわから
とりだしている
ところ
でした。

おまたせしました〜ドミソピザで〜す
く〜〜っうまそうなにおいやな
うひょ〜もちきれへんがな
ドミソピザ

一《いち》おく円《えん》の　テレカ《てれか》も、一《いち》ど　つかってしまえば　ただの　テレカ《てれか》です。ゆめ　やぶれた、ゾロリ《ぞろり》たちは、また　一文《いちもん》なしに　ぎゃくもどり。

ピザ《ぴざ》の　おかねも、はらえる　わけが　ありません。ふたりの　にんじゃが　ピザ《ぴざ》を　うけとっている　あいだに、ゾロリ《ぞろり》たちは、にんじゃふろしきに

みを　かくし、
こそこそ
にげだして
いきました。

おまえの　おかげで、
ったく、
おくまんちょうじゃの
ゆめが、　きえちまったぜ。
うわーん、ごめんなさーい。
おら、ピザ《ぴざ》のことで、
あたまが　いっぱい
だっただよー。
こんどは　きっと　おやくに
たつから、ゆるして
ほしいだ。

これで、すっからかんの一文《いちもん》なしか。じんせい　〇《ゼロ》からのスタート《すたーと》には、もってこいだぜ。みててよ、ママー《まま－》。いまにゾロリ《ぞろり》じょうもすてきな　およめさんも、きっと　てにいれてみせるからねー。
クーッ《くーっ》、そのたちなおりの　はやさ、おら、しびれるだよ。

●著者紹介
原ゆたか（はらゆたか）
一九五三年、熊本県に生まれる。七四年KFSコンテスト・講談社児童図書部門賞受賞。主な作品に、「ちいさなもり」「マータンはまさおくん」「ぼくのもパパみたいになるのかな」「ほうれんそうマン」シリーズ、「名門フライドチキン小学校」シリーズ、「東遊記」シリーズ、「かいけつゾロリ」シリーズ「こわいぞ!!ようかい小学校」などがある。

かいけつゾロリシリーズ⑱
かいけつゾロリのにんじゃ大さくせん
一九九五年十二月　第1刷
二〇一七年十一月　第69刷

著　者　原ゆたか
発行者　長谷川 均
発行所　株式会社 **ポプラ社**
東京都新宿区大京町二二―一　〒一六〇-八五六五
TEL　〇三―三三五七―二二一六（編集）
〇三―三三五七―二二一二（営業）
振替　〇〇一四〇―三―一四九二七一
印　刷　瞬報社写真印刷株式会社
製　本　株式会社ブックアート

このお話の主人公かいけつゾロリは「ほうれんそうマン」シリーズ，著者みづしま志穂氏の御諒解のもとにおなじキャラクターで新たに原ゆたか氏が創作したものです。

ISBN978-4-591-04898-6
インターネットホームページ　www.poplar.co.jp

913　原ゆたか
かいけつゾロリの
にんじゃ大さくせん
ポプラ社　2017
95p　22cm
かいけつゾロリシリーズ⑱

いくで
バチッ
コクリ
クルクルクル
ダァーーッ
トァーーッ
バラバラ
シュルシュルシュル
バシッ